aime son doudou

Orianne Lallemand
Éléonore Thuillier

AUZOU éveil

P’tit Loup a un doudou.
Depuis tout petit, il l’emporte partout avec lui.

« Tu es grand maintenant, dit Maman.
Tu peux laisser Doudou dans ton lit. »
Mais P'tit Loup n'est pas d'accord du tout !
Parce que…

Doudou va à l’école avec P’tit Loup.

« Doudou écoute bien la maîtresse,
après on fait dodo tous les deux », dit P’tit Loup.

ROBIN

SACHA

VALENTINE

MAX

MARIN
FANTINE
LOIS
Boîte à doudous

Doudou va au parc avec P’tit Loup.

« Doudou fait de très beaux pâtés
et on partage le goûter », dit P’tit Loup.

Doudou va aux anniversaires des copains.

« Doudou aide à souffler les bougies, mais il mange un peu trop de bonbons ! » dit P'tit Loup.

Doudou va chez Mamie et Papi.

« Doudou se cache dans le jardin, tout le monde le cherche, on s'amuse bien », dit P'tit Loup.

Doudou adore faire du vélo.

« On va très vite tous les deux, on fait des courses et des cascades », dit P'tit Loup.

Mais parfois… BOUM !

P'tit Loup pleure, il a très mal.
Alors Doudou devient tout doux,
et ils se font un gros câlin.

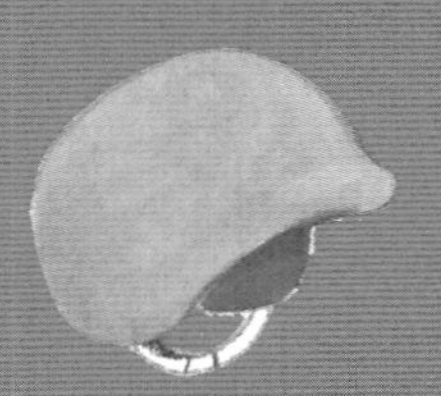

« Maman, je te prête Doudou si tu veux, dit P'tit Loup.
Tu verras comme il rend heureux…
Et plus jamais tu ne voudras
qu'on se sépare, lui et moi ! »

Toutes les histoires tendres et malicieuses de P'TIT LOUP

Responsable éditoriale : Maya Saenz – Conception graphique : Alice Nominé
Responsable fabrication : Jean-Christophe Collett – Fabrication : Bertrand Podetti

Loi n°49-956 du 16 juillet 1949 sur les publications destinées à la jeunesse, modifiée par la loi n° 2011-525 du 17 mai 2011.
Dépôt légal : août 2013.